밖에 나가고 싶어요!

글, 그림 ● 조지안느 길랑
Josiane Guilland

작은 우리 속에서 엄마젖을 다 먹고 난 새끼 돼지
스누피가 묻습니다.
"엄마, 살랑살랑 하는 저 소리가 뭐예요?"
"그건 말이다, 바람이 나뭇가지를 흔드는 소리란다."
"으응, 밖에 바람이 불고 있다는 거네요.
나도 밖에 나가 보았으면……."

다음 날 아침, 청소하러 오신 마슈 아저씨가
우리의 문을 열었습니다. 그 순간
"야, 밖이 보이네. 바깥 세상 냄새야!"
스누피는 큰 소리를 질렀습니다. 그러고는
"저, 밖에 좀 나갔다 올게요!"
하고 말하면서 우리 밖으로 달려 나갔습니다.

"저런, 기다려, 스누피."
마슈 아저씨가 큰 소리로 외쳤습니다.
"어이, 스누피. 어떻게 된 거야."
닭들도 스누피를 쫓아서 달려옵니다.
아무 말도 못 들은 척하며 스누피는 달립니다.
부드러운 풀밭에 이르렀습니다.
꽃이 가득한 들판을 한없이 달립니다.

"아니, 이런 데서 숨바꼭질하니?"
바로 옆에서 누군가의 목소리가 들렸습니다.
"아니야, 난 바깥 세상이 보고 싶어서 우리에서 뛰쳐
나온 거야. 내 이름은 스누피야, 넌?"
"나는 들쥐. 모두들 털보라고 부르지."
"아하, 털보구나. 사이좋게 지내자."

털보는 스누피를 딸기밭으로 데리고 갔습니다.
"오래 달려서 배가 고플 거야, 그렇지?
이 딸기, 먹어 볼래? 참 맛있어."
"응, 정말이네. 이렇게 맛있는 건 처음이야.
우리 밖에는 멋진 것이 참 많구나."
스누피는 열심히 딸기를 먹습니다.

"모두 여기 좀 봐, 내 친구 스누피야."
"여어, 안녕, 스누피? 참 잘 왔어."
"안녕? 모두 내 친구야?
아이, 좋아라. 정말 기뻐."

"와아! 소나기는 처음이야.
좀 더 내려라. 좀 더 내려."
스누피는 신이 나서 야단법석입니다.
정신없이 뒹굴었습니다.

모든 것이 신기하게만 보이는
하루였습니다.
달님도 처음 보고, 밤의 고요함도,
무서움도 처음이었습니다.

다음 날 아침, 청소하러 온 마슈
아저씨는 나무 그늘에서 자고 있는
더러워진 새끼 돼지를 보았습니다.
"아니 너, 스누피가 아니냐!"

"저런 저런, 몸이 몹시 차갑구나."
마슈 아저씨는 스누피를 안아서
우리 안으로 옮겼습니다.
"다행이로구나, 꼬마돼지 스누피."
닭들도 달려왔습니다.
"다치지 않았어? 개구쟁이 녀석."
"다치진 않았구나. 그렇지만……."

스누피는 물론, 스누피에게서 바깥 얘기를 들은
새끼 돼지들은 날마다 꿀 꿀 꿀 울고만 있지 뭡니까!
"밖에 나가고 싶어요, 밖에 나가고 싶어요.
친구들하고 놀고 싶다구요. 꿀꿀."

마슈 아저씨는 곰곰이 생각해 보았습니다.
마침내 좋은 생각이 떠올랐습니다.

마슈 아저씨가 울타리를 치고
멋진 놀이터를 만들어 주셨습니다.
새끼 돼지들은 기뻐서 어쩔 줄을 몰라하며
떠들썩하게 뛰어다닙니다.
그러고는 목소리를 맞추어 노래합니다.
"들판은 꽃 향기가 가득해요.
함께 뒹굴어 봐요. 땅이 움직이는 것 같아요.
바람이 불어 귀가 간지러워요.
즐거워라, 신나라, 바깥 세상은 정말 좋아요."

WORLD PICTURE BOOK

밖에 나가고 싶어요!

어린이 여러분께

　어린이에게 바깥은 너무나 좋은 곳입니다. 아무 꾸지람도 하지 않으면 하루 종일 나가 있기 일쑤죠. 왜냐하면 '어린이는 언제나 새로운 체험을 필요로 하고 있으니까.'라는 생각을 해 봅니다. 저는 어린이가 집 안에만 있지 않고, 가끔가끔 심장이 멈춰질 정도로 걱정이 되더라도 밖으로 나가는 것이 좋다고 생각하고 있습니다. 그런 기분을 스누피에게 실어 보았습니다. 여러분은 어떻게 생각하시는지요?

글, 그림 ● 조지안느 길랑(Josiane Guilland)

■ 1953년 스위스에서 태어나다.

■ 비엔느 미술 학교를 졸업한 후 아동 서적, 그림 동화 분야에서 많은 활동을 하다.

World Picture Book ⓒ1985 Gakken Co., Ltd. Tokyo.
Korean edition published by Jung-ang Educational Foundation Ltd. by arrangement through Shin Won Literary Agency Co. Seoul, Korea.

■ 발행인 / 장평순　■ 편집장 / 노동훈
■ 편집 / 박두이, 김옥경, 이향숙, 박선주, 양희숙, 김수열, 강혜숙
■ 제작 / 이해덕, 문상화, 장승철
■ 발행처 / 중앙교육연구원 (주) (서울시 종로구 관철동 258번지)
　　　　　대표전화 / 735 − 9600, 등록번호 / 제 2 − 178호
■ 인쇄처 / 갑우문화주식회사 (서울특별시 영등포구 양평동 1가 119번지)
■ 제본 / 태성제책 (주) (서울특별시 구로구 가리봉동 505 − 13)
■ 1판 1쇄 발행일 / 1988년 12월 30일, 1판 16쇄 발행일 / 1996년 10월 20일
■ ISBN 89 − 21 − 40220 − 9, ISBN 89 − 21 − 00003 − 8(세트)